Boomerang

MADE IN AUSTRALIA

susaeta

Autor: Lisa Regan
Traducción: Herminia Bevia
Diseño de cubierta: Sam Grimmer
Ilustraciones: MPS Limited

Imágenes: © Dreamstime.com: niño en la playa (pág. 5)
© chrisvanlennepphotodotcom; Boomerang decorado
© Stocksolutions.

Imágenes: © Fotolia.com: Wurfholz, Lanzador de boomerang © Klaus
Eppele; Boomerang © Galyna Andrushko.

Imágenes: © Shutterstock.com: Acacia aneura © Ashley Whitworth; Hombre
con boomerang al atardecer © Kesu; Boomerang sobre el cielo azul ©
Gavran333; Florecimiento de una mimosa/Acacia podalyriifolia © Flik47;
Boomerang tradicional australiano © Mark Ditcham; Boomerang © bepsy;
Boomerang marrón en arena de playa © Zurbagan; Hombre lanzando un
boomerang al mar © Ramon grosso dolarea; Boomerang de madera sin
fondo © RusGri, Boomerang australiano sin fondo © ChaosMaker.

No utilizar en interiores. Solo para uso exclusivo al aire libre y en espacios
abiertos. Tenga cuidado al lanzar el boomerang cerca de personas y
animales. La editorial no se hace responsable de las lesiones o daños
ocasionados por el uso indebido del material de este libro.

Contenido

¡Comencemos!

¡Enhorabuena! Ahora eres el feliz dueño de un boomerang. Aunque deberías prepararte para lo peor porque es muy probable que ocurran varias cosas mientras lees este libro y pones en práctica sus consejos:

- pondrás a prueba los límites de tu paciencia.

- tu presión arterial subirá considerablemente.

- terminarás físicamente agotado.

- acabarás total y absolutamente enganchado: ¡lanzarás cosas sin parar con la esperanza de que regresen!

Si esto es lo que entiendes por diversión, bienvenido a bordo...

El boomerang es un icono australiano que sugiere de inmediato imágenes de Australia y de los aborígenes de ese país; pero, lo que hace único al boomerang es su capacidad de regresar a la persona que lo lanzó, ¡siempre y cuando lo haga bien! Aunque, tradicionalmente, fue empleado como una herramienta de caza, seguro que no te has hecho con el tuyo con ese objetivo; lo más probable es que estés interesado en su uso recreativo: aprender a lanzarlo y atraparlo cuando (¡si tienes suerte!) regrese a ti.

Con el paso del tiempo, el boomerang se ha convertido en un deporte cada día más popular en todo el mundo, creándose asociaciones internacionales y competiciones en varios continentes. Además, al ser una actividad que se desarrolla al aire libre, es una manera saludable de pasar una tarde entretenida sin necesidad de recurrir a las nuevas tecnologías. Por otra parte, es fantástico para mantenerse en buena forma y mejorar la coordinación. Y, lo mejor de todo, ¡es muy DIVERTIDO!

Ser diestro o zurdo representa una enorme diferencia a la hora de lanzar un boomerang. Hay que tener en cuenta que la mayoría están especialmente diseñados para diestros. Los pensados para ser lanzados con la derecha no funcionan con la izquierda, y viceversa. Por suerte, el que acompaña a este libro, sirve para ambas manos. Solo una advertencia: si lo vas a lanzar con la mano izquierda, lee antes la página 26.

Un poco de historia

–¿De dónde procede el boomerang?
–¡Del lugar desde el que se ha lanzado! ¡Ja, ja, ja!

La respuesta real nos lleva a remontarnos varios miles de años, hasta un tiempo en el cual estos trozos de madera tallados eran armas y solo algunos de ellos regresaban.

Nadie sabe con seguridad cómo eran los antiguos boomerangs, pero se han descubierto en Europa algunos de más de diez mil años de antigüedad, y en todo el mundo existen objetos similares. Muchas de estas armas arrojadizas fueron talladas para que se desplazaran en el aire con rapidez y precisión, pero no estaban diseñadas para volver a su punto de origen.

Hay quienes no están de acuerdo en clasificar como boomerangs a dichas herramientas, sin embargo, lo cierto es que eran aerodinámicas y que fueron concebidas para hacer blanco cuando eran correctamente lanzadas.

Los dialectos aborígenes les otorgan diferentes nombres, ninguno de los cuales tiene nada que ver con el término «boomerang».

Es más que probable que el diseño en forma de V fuese refinado con el paso de los años, a medida que los cazadores comprobaban que algunos boomerangs seguían una trayectoria elíptica tras su lanzamiento y retornaban a su propietario. Además, resultaban muy útiles si se trataba de cazar pájaros, ya que servía para asustar a las aves, desviar su vuelo y dirigirlas a las trampas colocadas por los cazadores.

La curvatura natural de las raíces de las acacias y las mimosas australianas era perfecta para la fabricación de los primitivos boomerangs.

Los primeros boomerangs o «espadas de madera»

Cuando el capitán James Cook desembarcó en Botany Bay (la actual Sidney, capital de Australia) se fijó en que los aborígenes iban armados con «espadas de madera», unos palos grandes, de forma curvada que empleaban para cazar, y decidió llevarse uno a su país como recuerdo.

Aquellas espadas de caza eran lo bastante grandes y pesadas para abatir a un canguro si eran lanzadas por un experto; pero, por supuesto, ningún palo es capaz de tumbar a una presa de semejante tamaño y regresar a su punto de partida. No obstante, eran herramientas prácticas y útiles, ya que, como señaló Cook, podían ser utilizadas también como armas de mano arrojadizas y, si se golpeaban una o dos en el suelo, servían como instrumento musical. Sin olvidar que con ellas se podía escarbar y atizar el fuego.

Aunque los boomerangs han sido una constante en la historia de la caza en Australia, posiblemente porque estaban perfectamente adaptados al territorio abierto y extenso en el que se utilizaban para cazar a las presas, hoy en día son uno de los iconos más famosos del país, y resulta más que curioso el hecho de que nunca fueran sustituidos por el arco y las flechas.

Nadie sabe con exactitud cómo evolucionaron los sofisticados boomerangs a partir de esos rústicos palos originales, pero muchos historiadores piensan que fue gracias a su uso recreativo, ya que su atractivo radica en su relativa simplicidad, bajo coste y la satisfacción que produce perfeccionar el arte de lanzarlos y atraparlos.

Los boomerangs han tenido muchos usos a lo largo de la historia, tanto prácticos como puramente ceremoniales.

Obras de arte

El boomerang puede ser un hermoso objeto en sí mismo. Se fabrica con muchas formas diferentes, desde los tradicionales de madera a los más ligeros de material termoplástico. Para ser sinceros, puede que estos últimos resulten menos bonitos, pero son más precisos y sencillos de manejar a la hora de iniciarse en su lanzamiento. Es mejor reservar los de tipo tradicional para cuando dominemos esta habilidad.

Se pueden adquirir los clásicos fabricados en madera en toda Australia, al igual que en otros países, pero en este último caso no podemos tener la garantía de su procedencia y autenticidad. Hay que ser cautelosos al comprarlos: tal vez no sean genuinos.

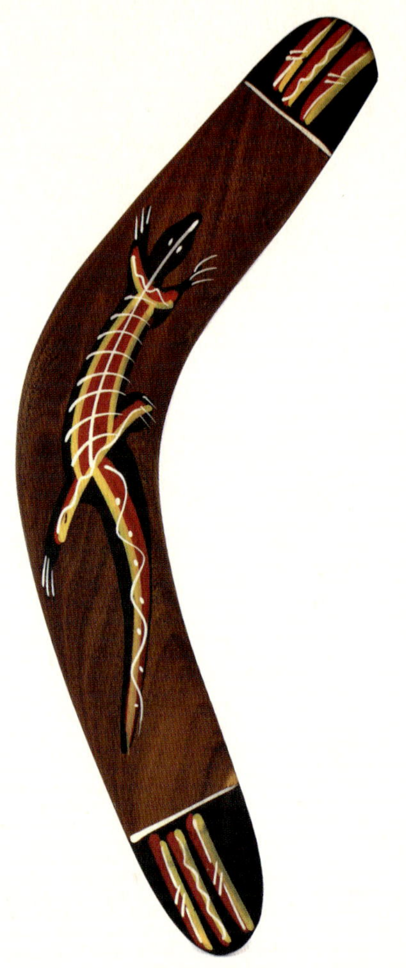

Los modernos diseños, en todos los colores, formas y tamaños, son tan variados como sus creadores. En ocasiones, la clásica forma bipala (forma de V) ha sido alterada o desechada por completo, pudiendo llegar a tener tres o cuatro brazos y dibujos fosforescentes en lugar de pirograbados o motivos alusivos a la vida salvaje.

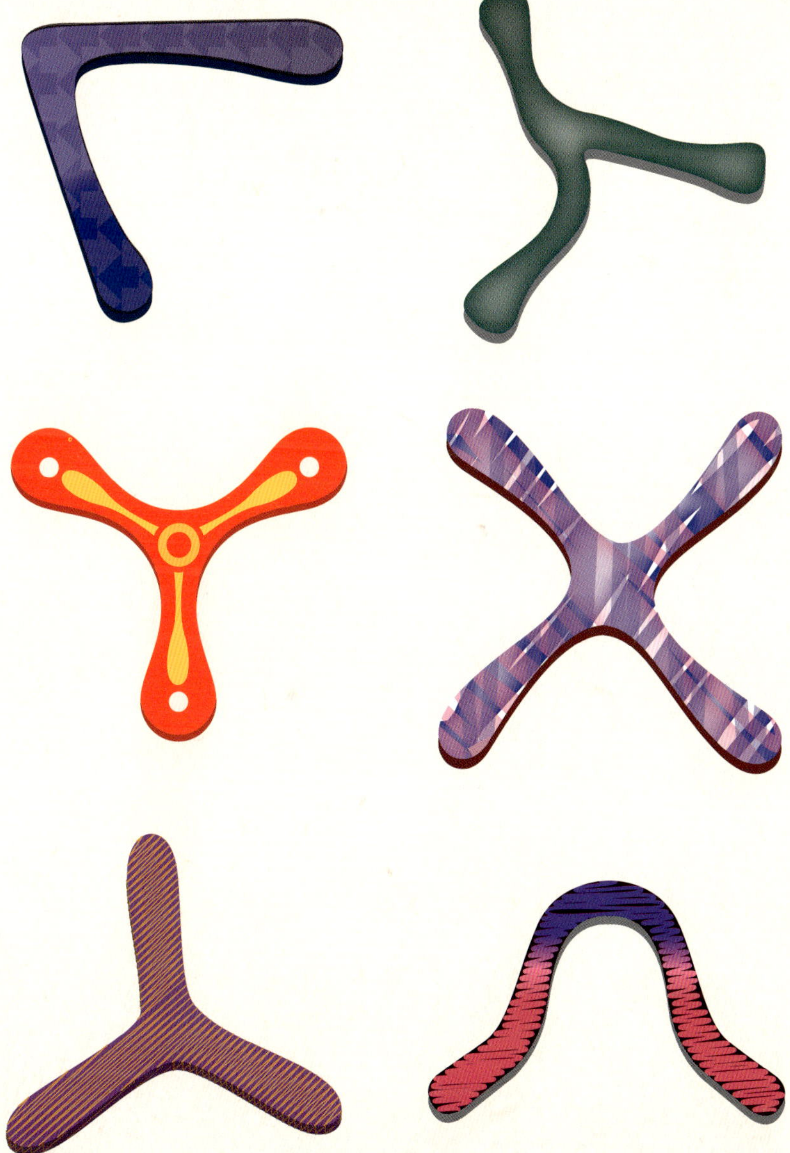

Tipos de boomerang

Aparte de las diferencias visibles, se pueden establecer otras muchas distinciones entre varios tipos de boomerang. Una rápida búsqueda en Internet nos mostrará modelos para principiantes, para competidores profesionales y una multitud de estilos entre ambos extremos. Pueden ser ligeros o pesados, blandos o duros, para ser lanzados en interior o en exterior.

¡Hasta pueden tener forma de canguro!

La forma de aspa de cuatro brazos es estupenda para empezar: es sencilla de lanzar, tiende a volver y es fácil de atrapar.

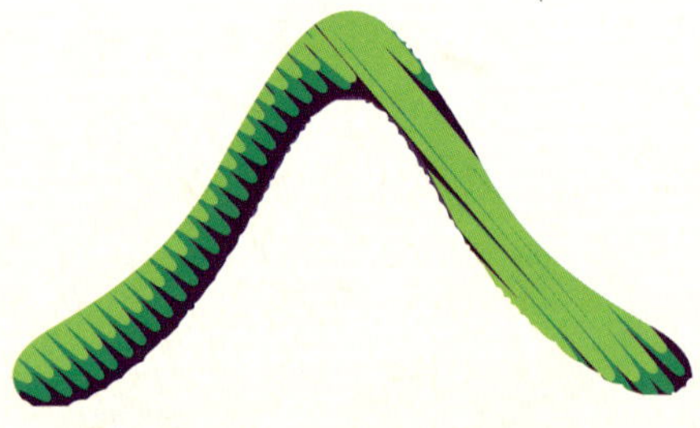

Uno deportivo en forma de sombrero precisa un lanzamiento potente, pero cubrirá mucha distancia y volverá a nosotros incluso en un día ventoso.

Un tripala gira más rápido que un bipala y es más fácil de lanzar y de atrapar.

Según vaya mejorando tu habilidad para lanzar y atrapar, busca uno de fibra de carbono, como los usados en la práctica deportiva.

En cuanto a distancia, precisión y facilidad en la recogida (necesarias en algunas pruebas), el de mayor alcance es este con forma de gancho o alcayata.

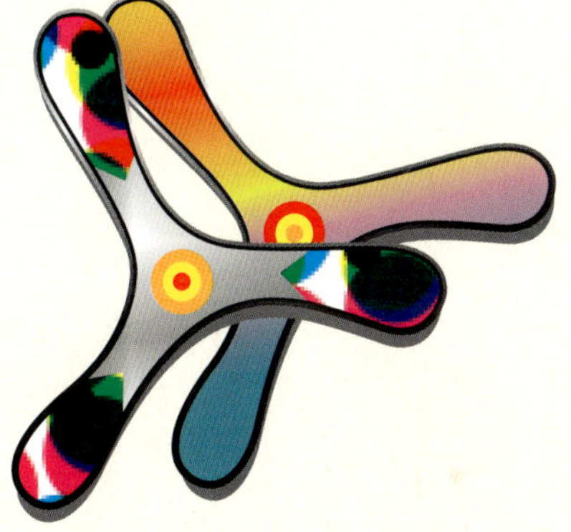

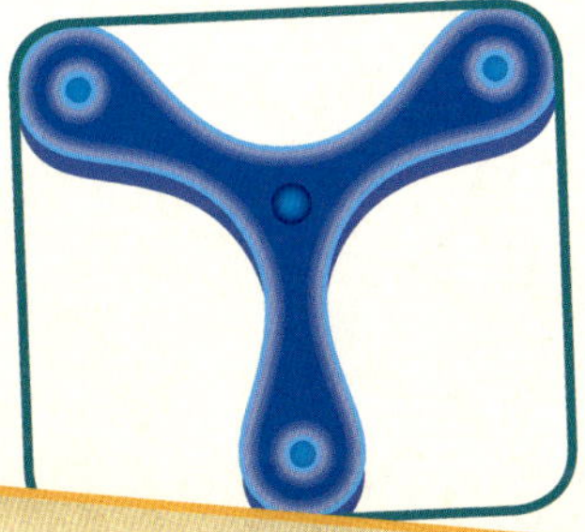

Cuando seas un experto, quizá te apetezca probar un par de boomerangs acrobáticos «trick catch». Para esta modalidad, hay que ajustar el estilo de lanzamiento e imprimirles «vuelo» extra para atraparlos entre las piernas o de espaldas. Son trucos estrictamente reservados a lanzadores expertos.

Primeros pasos

Ya estás al corriente de la historia del boomerang y seguro que deseas probarlo. Pero, antes de comenzar, es mejor que sepas que estas instrucciones son para lanzadores diestros. Los zurdos deberán dirigirse a la página 26.

Cómo sujetarlo

Sujeta el extremo derecho del boomerang con el lado plano tocando la palma de la mano. Hay dos tipos de agarre. En el «agarre de cuna» los dedos se doblan como si sujetases una raqueta o le estrechases la mano a alguien. En el «agarre de pellizco», en cambio, se coloca el boomerang entre el pulgar y el índice, parecido a si sostuvieses un lápiz. Generalmente, el agarre de pellizco ofrece un lanzamiento más limpio y con mejor efecto, lo que ayuda a que el boomerang regrese.

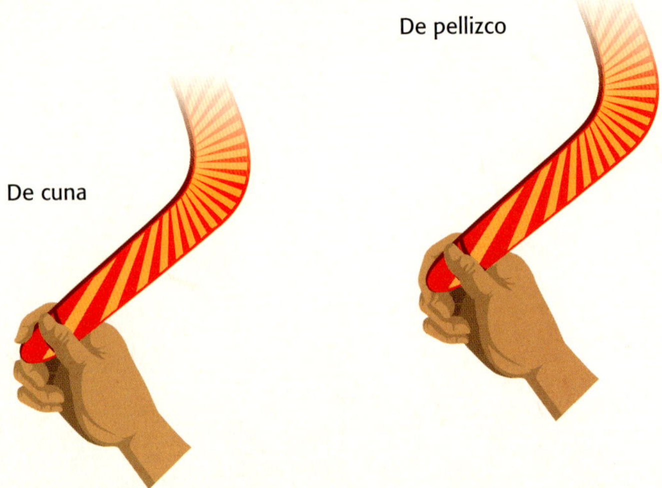

La posición

Antes de empezar a practicar, asegúrate de que dispones de suficiente espacio. Incluso los mejores lanzadores necesitan un zona amplia. Es importante que las desviaciones en los tiros no causen daños. Lo mejor es un campo de deportes o un área grande al aire libre.

La angulación

Esta indicación vale para todos los ángulos de tiro; lo fundamental es recordar que nunca se debe lanzar un boomerang horizontalmente (como harías con un frisbee), pues saldría despedido hacia arriba y el retorno sería peligroso. Hay que sostenerlo verticalmente, con el brazo alzado y ligeramente inclinado a la derecha. Si imaginas la esfera de un reloj, el boomerang apuntaría a la 1 en punto.

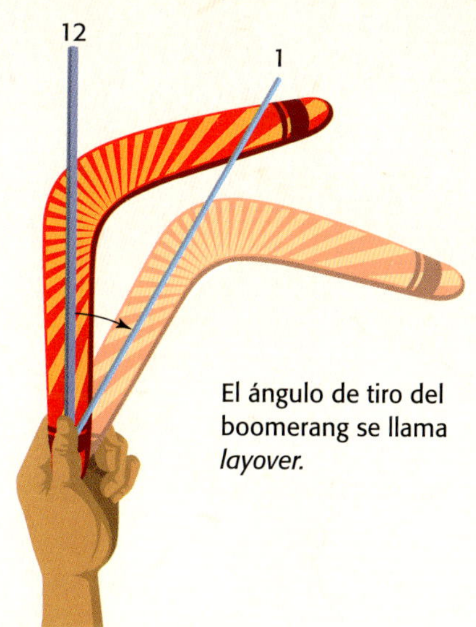

El ángulo de tiro del boomerang se llama *layover*.

Esto es lo que ocurre si lanzamos el boomerang horizontalmente. ¡Cuidado!

Apuntar en la dirección correcta

El ángulo en V del boomerang tiene que apuntar hacia atrás.

Correcto: Incorrecto:

Por supuesto, esto no se aplica si el boomerang
tiene tres o cuatro brazos.

Primer lanzamiento

La idea es lanzar con un ángulo
de unos 45 grados desde la
vertical. Lo normal, si hay árboles
alrededor, es apuntar hacia las copas.
No tires nunca hacia abajo; en su lugar
imagina que estás sacando un servicio de
tenis (imita el movimiento de la raqueta).

Echa hacia atrás el brazo, para que el
boomerang quede detrás de tu hombro, y
luego balancea el brazo hacia delante. Suéltalo
cuando el brazo sobrepase la oreja y haz un
movimiento rápido con la muñeca mientras lo
lanzas. Esto aporta el efecto necesario para que el boomerang describa una curva.

Aprovechar el viento

El viento juega un enorme papel en los lanzamientos. Comprueba en qué dirección sopla y colócate de modo que te dé en la mejilla izquierda. Con la práctica, aprenderás a ajustar la posición y angulación del tiro según la intensidad del aire (ver página 18). Es mejor comenzar un día tranquilo y soleado, con un viento de menos de 8 km/h.

¡Inténtalo!

- Adelanta el pie izquierdo al tiempo que te dispones a lanzar.

- Lanza con suavidad, pero haciendo un movimiento rápido de muñeca. Más decisión que músculo: ¡funciona!

- El boomerang está diseñado para volver solo: no hagas cosas raras para forzarlo.

RECUERDA: Un tiro con la mano derecha hará girar el boomerang en dirección contraria a las agujas de un reloj.

No te limites a soltarlo, haz que inicie el vuelo desde tu mano.

Con ayuda del aire

A medida que practiques, empezarás a ver los diferentes vuelos que puede realizar el boomerang. En el peor de los casos, caerá al suelo y tendrás que darte un buen paseo para recuperarlo; en el mejor, volverá limpiamente a tus manos.

Entre ambos extremos, existe la posibilidad de que aterrice muy lejos, tanto delante como detrás de ti. Comprueba la dirección del viento y haz los ajustes necesarios, como rectificar el ángulo de tiro.

Ajusta el ángulo de tiro unos grados según la fuerza del viento.

Sitúate de cara al viento, luego gira 45 grados a la derecha (o a la izquierda si eres zurdo). Si no hace viento, puedes lanzar en la dirección que quieras.

A menudo, el boomerang aterrizará detrás de ti si el viento es fuerte. Intenta desplazarte un poco en la dirección contraria (hacia tu derecha).

Si el viento amaina, el boomerang tenderá a aterrizar delante de ti o a un lado. Muévete un poco a la izquierda (hacia la dirección en la que crees que sopla el viento) y lanza de nuevo.

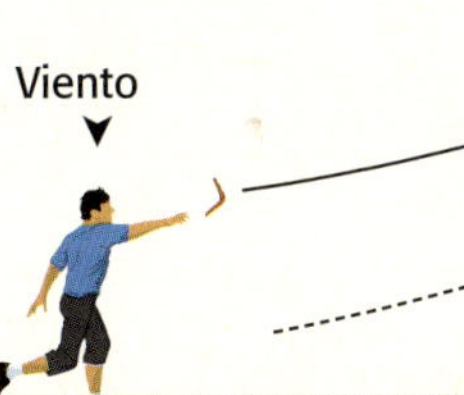

Para contrarrestar la fuerza del viento, gira 10 grados, luego otros 10 y 10 más si es necesario.

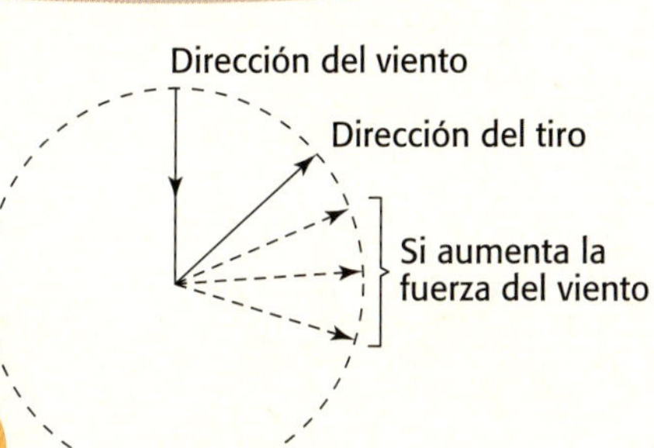

Después de recoger el boomerang, regresa siempre al mismo punto para cada nuevo tiro. Además de ser lo más seguro, aprenderás a practicar de manera sistemática y constante.

¿Algún problema?

Nadie dijo que esta actividad fuera fácil, así que persevera; aprender a lanzar con un buen nivel exige constancia y paciencia. Tal vez sientas que has recorrido el equivalente a un maratón para recoger tu boomerang antes de que empiece a volver solo. He aquí unos cuantos consejos que quizá puedan ayudarte.

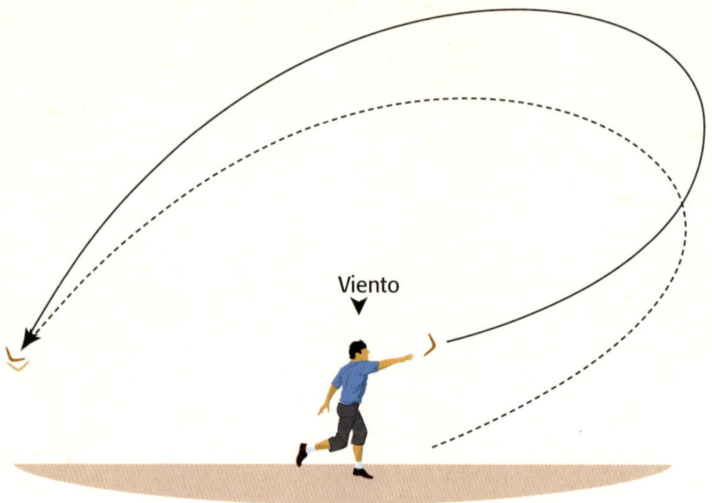

Si no consigues atrapar el boomerang aunque la trayectoria parezca prometedora, intenta lanzarlo con un poco más de fuerza.

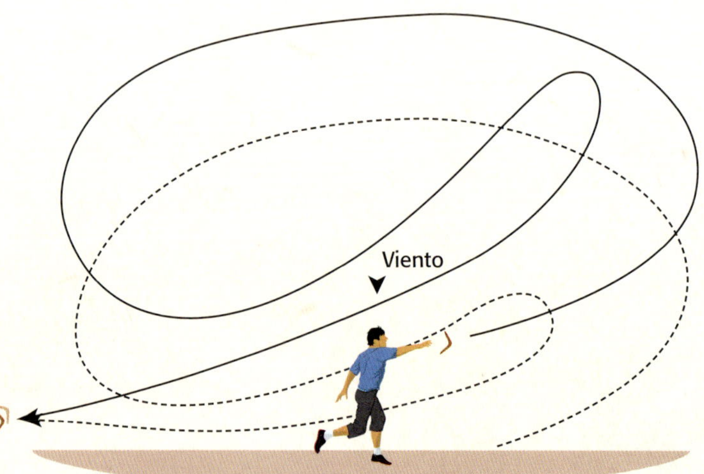

¿Te resulta familiar este recorrido? Lo más probable es que estés lanzándolo demasiado fuerte.

A medida que mejores tu habilidad en los lanzamientos, descubrirás cómo los pequeños ajustes afectan a la trayectoria del boomerang. Por ejemplo, un ángulo de tiro (lateral) excesivo provoca un mal lanzamiento, pero si te quedas corto el boomerang no volará con suavidad.

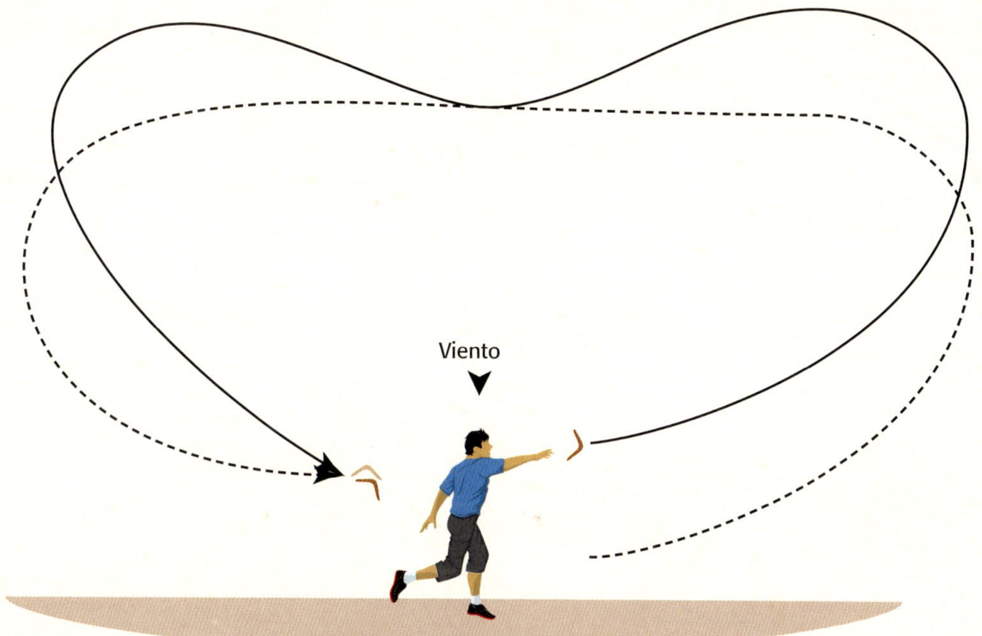

Este lanzamiento no tiene la angulación correcta y el desplazamiento no será bueno.

En las páginas 28 y 29 encontrarás más consejos para hacer volar tu boomerang exactamente como corresponde según su forma y diseño.

¡VALER!

¿Qué tiene que ver tu valía con el boomerang? Tranquilo, no es ningún galimatías; se trata de una simple regla nemotécnica para no olvidar las indicaciones más importantes y que hay que tener en cuenta; una especie de chuleta o recordatorio.

V de viento

Para perfeccionar la técnica con el boomerang hace falta comprender la relación que guarda el viento con la dirección del lanzamiento.

A de ángulo de elevación

¡Apunta a las copas de los árboles! Si no hay árboles, procura lanzar el boomerang a la altura de los ojos.

L de lanzamiento

El ángulo de tiro es el término técnico para el lanzamiento del boomerang. Recuerda apuntar hacia la 1 en punto. Si lo haces demasiado cerca de las 3 en punto se denomina *sidearm,* y no es una posición recomendable para la mayoría de los tipos de tiro.

E de efecto

Hace referencia al efecto procedente del giro de la muñeca al impulsar hacia adelante el boomerang.

R de resolución

Tiene que ver con la potencia y decisión a la hora de lanzar. No es tan importante como el efecto, pero con práctica descubrirás la fuerza que es necesaria aplicar al lanzamiento para conseguir abarcar una buena distancia o velocidad de vuelo. Es un factor de gran importancia si quieres entrenar para competir.

Sorpresa final

Ya eres lo bastante bueno para lanzar el boomerang de manera que regrese a ti. ¡Ahora, intenta atraparlo! Esto se puede hacer de diferentes modos.

Con las dos manos

El mejor sistema, y el más sencillo, es usar ambas manos para recogerlo. El boomerang debería volver en una posición casi horizontal para que puedas atraparlo sin peligro. Agárralo con una mano encima y otra debajo, sosteniéndolo entre las palmas o los dedos.

Paso 1

Paso 2

¡CUIDADO! Si el boomerang lleva demasiada velocidad, no intentes atraparlo.

Trucos

Cuando tu índice de éxitos atrapando
el boomerang ronde el cien por cien,
puedes empezar a hacer exhibiciones.
Intenta agarrarlo por detrás de la
espalda o bajo una pierna; haz una
pirueta antes de recogerlo y atrápalo
entre los pies. Todos estos son trucos
admitidos en competición. Cada uno
tiene un nombre y una puntuación
(ver la página 42 para más
información).

Si te apetece ensayar estos trucos,
ponte guantes protectores. Los que
se utilizan en la práctica del ciclismo
o en el levantamiento de pesas
te ofrecerán el agarre necesario,
además de amortiguar el impacto.

Lanzar con la izquierda

Aquí están las instrucciones para zurdos. Se aplica mucho de lo mencionado en las páginas 14 a 25, pero con algunas diferencias, así que no te saltes esa sección.

Cómo sujetar el boomerang

Sostén el extremo izquierdo del boomerang, con el lado plano en contacto con la palma de tu mano. Escoge entre el agarre de cuna o el de pellizco (ver página 14) y colócate en posición (ver página 15). Al igual que un diestro, lanzarás hacia arriba, pero con el boomerang ligeramente inclinado a la izquierda: apuntando hacia las 11 en punto en lugar de la 1 en punto. Si la inclinación se acerca a las 9 en punto el tiro saldrá errado.

El viento

Una vez que averigües de dónde viene el viento, debes girar en la dirección contraria a un tirador diestro: el viento debe soplar en tu mejilla derecha. Esto supone girar unos 25 grados a tu izquierda. El primer lanzamiento será como el descrito en la página 17, pero adelantando el pie derecho en vez del izquierdo.

Problemas

Si la velocidad del viento dificulta tus lanzamientos, tendrás que hacer los mismos ajustes que un diestro, pero en la dirección opuesta; no obstante, los principios serán idénticos. Así, si el boomerang cae demasiado lejos y detras de ti, deberás girarte a la izquierda en lugar de a la derecha.

RECUERDA: Un lanzamiento con la mano izquierda hará que el boomerang siga la dirección de las agujas del reloj.

Ajustes

Además de refinar tu técnica de lanzamiento, puedes realizar ajustes en el boomerang. Algunos modelos están hechos con materiales que permiten doblar las puntas; también se puede añadir algo de peso al boomerang para alterar sus propiedades de vuelo. De igual modo, la colocación de bandas de goma influye en el desplazamiento. Esto puede ser de ayuda en condiciones de fuerte viento.

Para que el boomerang suba alto y muy deprisa, dobla ligeramente las puntas hacia abajo; prueba primero con el extremo delantero para ver si ayuda. Limítate a ajustarlo un poco, no vaya a ser que se parta el boomerang.

Si el boomerang sigue descendiendo en picado antes de volver hacia ti, dobla una punta o las dos hacia arriba.

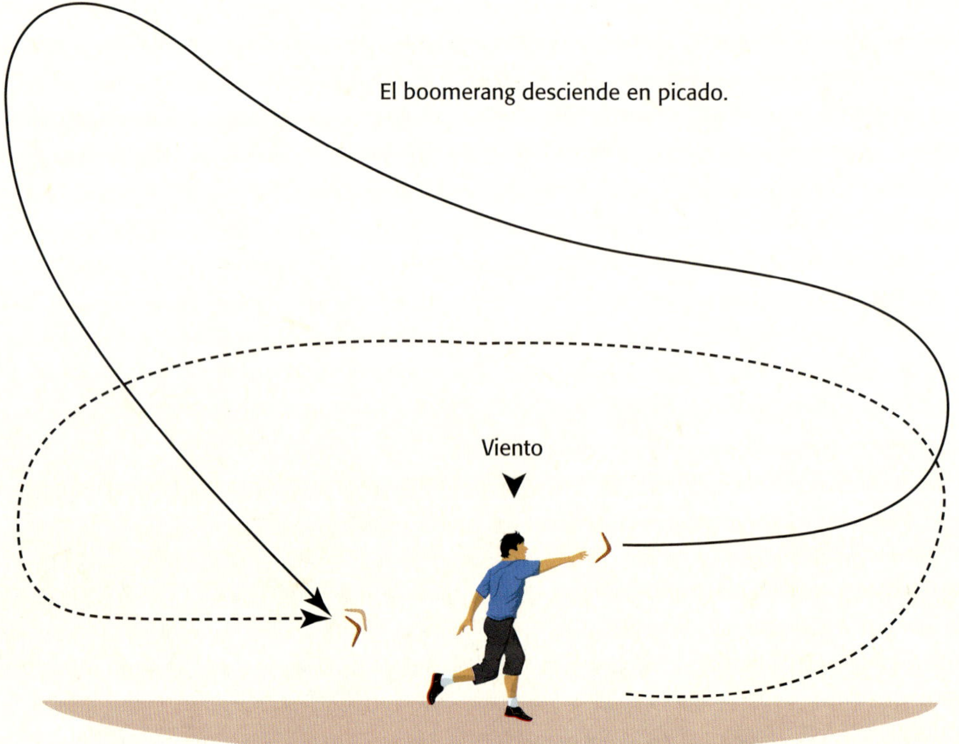

¡Problema resuelto!

No te preocupes por los ajustes hasta que hayas perfeccionado el lanzamiento, ya que si este sigue siendo inestable no serás capaz de juzgar si el boomerang vuela de modo distinto por el ajuste realizado o porque lo tiras de forma diferente.

¿Por qué vuela?

¡Porque es mágico! Espera, era broma. Si en serio quieres saberlo, entonces te diré que...

Un boomerang tiene dos brazos o palas que recuerdan a las alas de un avión (redondeadas por un lado y planas por el otro). Esta forma aerodinámica hace que se redistribuya el flujo de aire y provoca una diferencia en la presión atmosférica, lo que permite el planeo. Esto también propulsa el boomerang y lo mantiene en el aire.

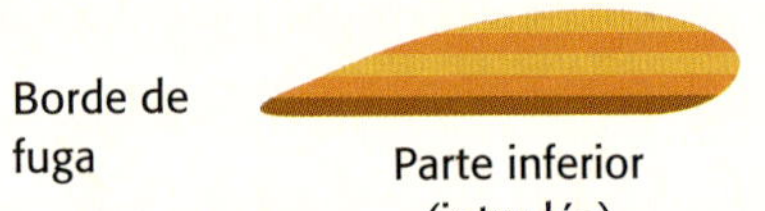

El corte transversal muestra la parte superior redondeada (extradós) y la inferior plana (intradós) de un boomerang.

No obstante, los diseños con múltiples palas de un boomerang recuerdan más a las hélices de un helicóptero que a las alas de un avión. Cada una de ellas tiene un borde de ataque y están colocadas de tal manera que cuando el boomerang gira siempre quede una de ellas de cara al viento.

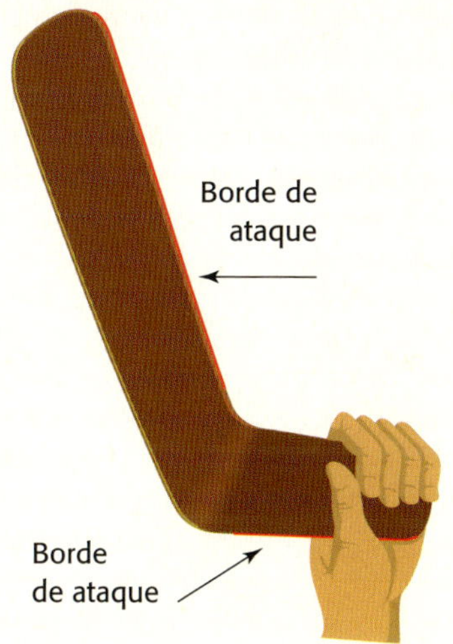

Boomerang para zurdos.

Un boomerang para zurdos está diseñado al contrario que uno para diestros: el borde de ataque está en el lado opuesto.

¿Por qué vuelve?

Cuando lanzas un boomerang lo haces hacia delante, con un leve movimiento de muñeca. Dicho movimiento aporta a la pala superior una mayor velocidad aerodinámica que a la otra pala.

Esa diferencia en la velocidad de vuelo genera un desplazamiento desigual, ladea el boomerang y provoca una trayectoria curva. Es como cuando vas montado en una bicicleta sin manos y te inclinas sobre ella levemente para hacerla girar.

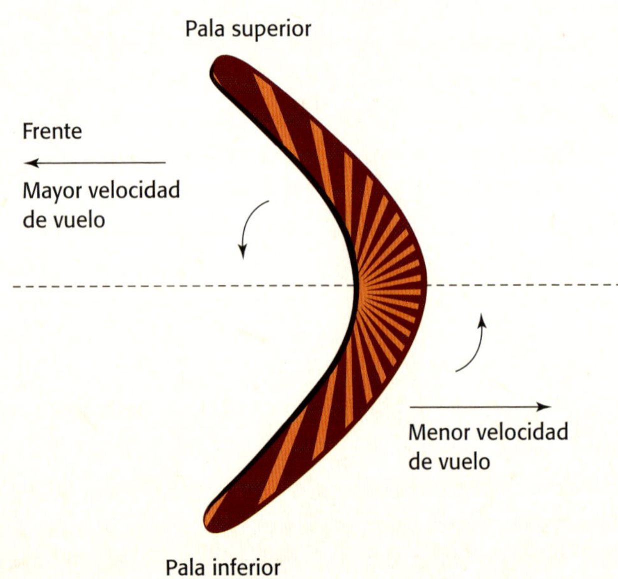

¡Mi boomerang no funciona!

Es una queja habitual entre los principiantes. Tranquilo, sí que funciona, simplemente se trata de lanzarlo bien; ninguno de los modelos que se venden falla si se maneja correctamente. Lee de nuevo las instrucciones e inténtalo otra vez. Realiza pequeños ajustes hasta que consigas esa increíble y alucinante sensación que produce lanzar un boomerang y ver cómo regresa hacia tus manos como por arte de magia.

Uso recreativo

El antiguo boomerang se empleaba para cazar, como instrumento musical y para excavar. El actual, en cambio, se utiliza exclusivamente por diversión, para hacer ejercicio y, en el caso de unos cuantos apasionados, en competiciones.

Aprender a lanzar un boomerang es un modo de empezar a hacer gimnasia. Sin duda, tu forma física mejorará gracias a las carreras que te darás para recuperarlo mientras aprendes. Aunque la fuerza no es necesaria para que un boomerang vuele, probablemente notarás al principio que te duele el brazo con el que lanzas, sencillamente porque ejecuta una y otra vez un movimiento inusual.

El lanzamiento de boomerang también es una actividad social. Cuando estés empezando, la gente te ofrecerá consejo (¡pídeles que lancen ellos antes de creer una palabra de lo que te digan!). Pero, a medida que mejores, serán ellos los que quieran charlar contigo y empaparse de tu experiencia observando tu habilidad en acción.

Quizá desees conocer a personas con tus mismos intereses. Actualmente, más de una docena de países cuentan con un equipo o una asociación nacional de esta disciplina, donde podrás informarte acerca de los encuentros de aficionados de esta actividad y las competiciones locales a las que podrás apuntarte. Cada dos años se celebran campeonatos del mundo por equipos en distintos puntos del globo. Estados Unidos y Alemania, en particular, se toman muy en serio este deporte.

El lanzamiento de boomerang se ha convertido también en una forma de espectáculo. Los tiradores más habilidosos son capaces de golpear un gong, apagar una vela, reventar un globo y realizar toda clase de trucos.

Pruebas deportivas

Las pruebas oficiales de lanzamiento de boomerang cuentan con jueces y reglamentos para establecer las normas de la competición.

Dichas pruebas cuentan con un terreno de juego señalizado (ver página siguiente); el círculo central de 2 metros de diámetro indica dónde debe situarse el lanzador y se conoce con el nombre de *bullseye*. La línea de 20 metros indica la distancia mínima que debe alcanzar el boomerang antes de iniciar el retorno; el círculo exterior, en cambio, marca la distancia máxima, que dependiendo de la competición, puede situarse a 50 o 100 metros.

En las seis modalidades de competición que veremos en las páginas siguientes, los participantes deben poner a prueba su habilidad con el boomerang y demostrar precisión y velocidad en su manejo.

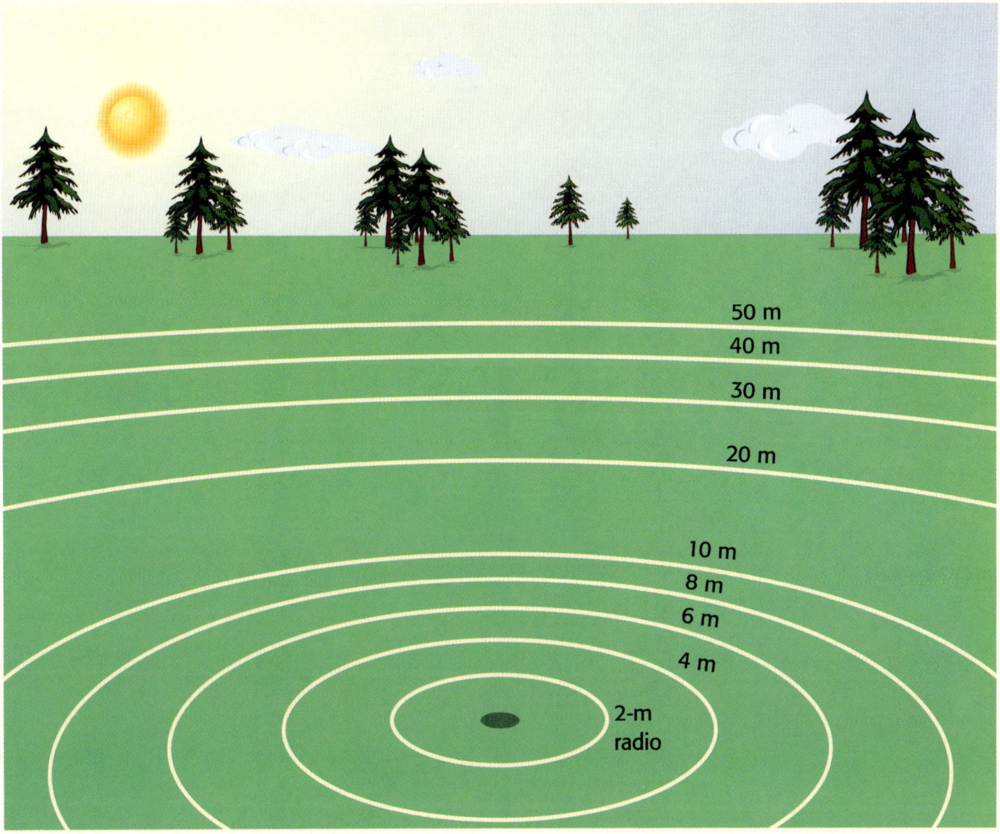

50 m
40 m
30 m
20 m
10 m
8 m
6 m
4 m
2-m
radio

Aussie Round

El acontecimiento por excelencia es la Aussie Round, también conocida como la Ronda australiana. Es una prueba que combina las principales habilidades con el boomerang: distancia, precisión y recogida. El lanzador se sitúa en el *bullseye* y tira cinco veces. Se obtienen puntos en función de la distancia recorrida, la precisión con la que regresa el boomerang y la habilidad para atrapar este.

Los puntos por distancia solamente se consiguen si el boomerang vuelve al tirador y es recogido; por ejemplo, un tiro perfecto debería superar los 50 metros, obteniendo así 6 puntos, y tendría que ser atrapado dentro del círculo central de 2 metros para conseguir el máximo de 4 puntos.

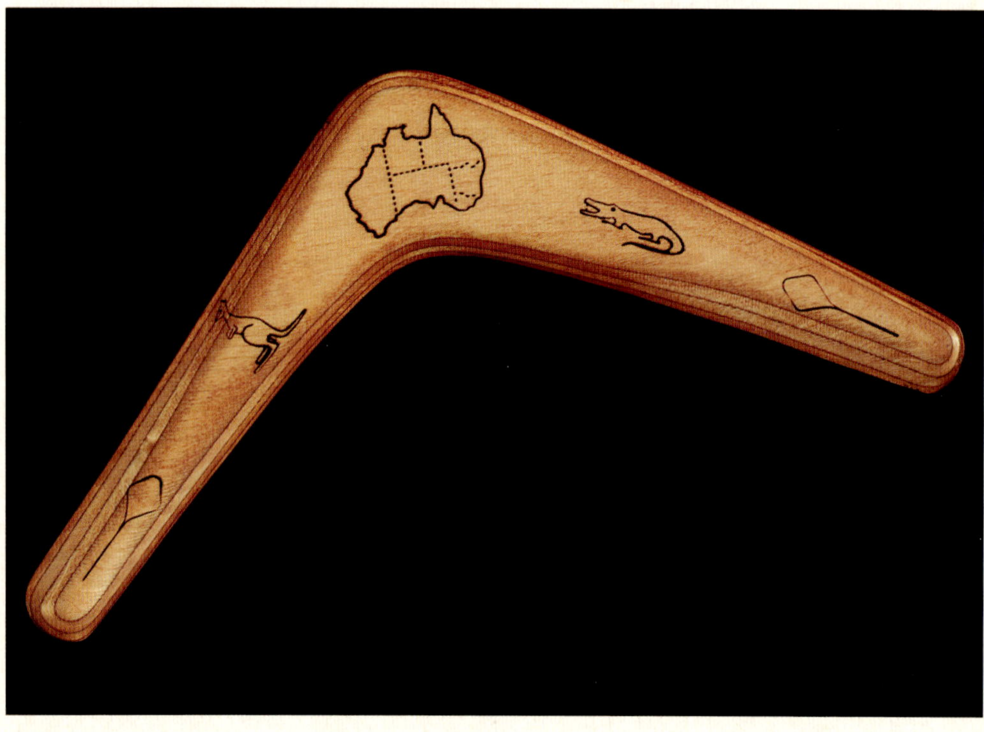

Precisión

Las pruebas de precisión también cuentan con un *bullseye* o punto central de tiro. En estas competiciones se premia la proximidad a ese punto en el retorno del boomerang sin que este se recoja. La puntuación máxima, 50 puntos, se logra si los cinco tiros aterrizan dentro del *bullseye*. También se obtienen puntos si cae dentro del área circular delimitada por la línea de 10 metros. Puede jugarse por equipos, como la Aussie Round, con cuatro lanzadores en cada equipo.

La puntuación máxima se logra si el boomerang cae dentro del *bullseye*.

Maximum Time Aloft (MTA)

MTA es el acrónimo de Maximum Time Aloft, «máximo tiempo de tiro». Para esta prueba se usa un tipo de boomerang con una pala más larga que la otra; esto permite que permanezca en el aire planeando durante más tiempo que otros modelos. Eso sí, es imprescindible lanzarlo con mucha fuerza.

¿Crees que puedes hacerlo? Tendrías que superar el minuto y medio si quieres entrar en el libro de los récords.

Fast Catch

El Fast Catch es una competición cronometrada en la que hay que lanzar y recoger un boomerang cinco veces. Gana quien lo hace en menor tiempo. El objetivo es completar los cinco tiros y recogidas en menos de 15 segundos. ¡Ya puedes entrenar!

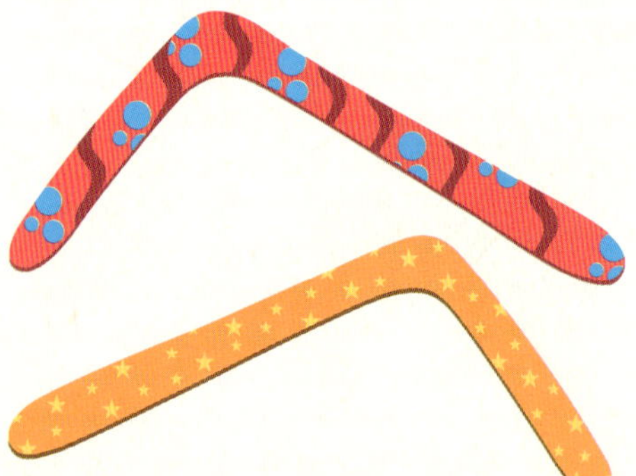

Skying significa perder el boomerang. Algunos modelos MTA vuelan demasiado lejos y caen donde el lanzador no puede verlos.

Pero si lo tuyo es la resistencia, echa un vistazo a la prueba Fast Catch Endurance. Se trata de demostrar cuántos lanzamientos y recogidas se pueden realizar en cinco minutos. Si logras efectuar más de 20, también puedes apuntarte a esta prueba. El récord mundial está en más de 80 recogidas: una cada tres o cuatro segundos.

Doubling / Juggling

Si todo lo anterior no te parece suficiente desafío, quizá el lanzamiento de dos boomerangs al mismo tiempo coincida con tu sentido del espectáculo.

Precisamente, en eso consiste la modalidad conocida como Doubling: lanzar dos boomerangs a la vez. Cada uno es de un tipo diferente: uno vuela más lejos y planea menos tiempo; el otro es de vuelo corto y planeo largo. Los participantes sostienen ambos boomerangs con la misma mano y los lanzan a la vez. A continuación, tienen que atraparlos. ¡Está chupado!

El Juggling (lanzamiento acrobático) es una disciplina diferente, pero en la que también se emplean dos boomerangs. El objetivo es mantener uno en el aire mientras lanzas y recoges el otro. El récord está en las increíbles 555 recogidas del francés Yannick Charles. Casi nada, ¿verdad?

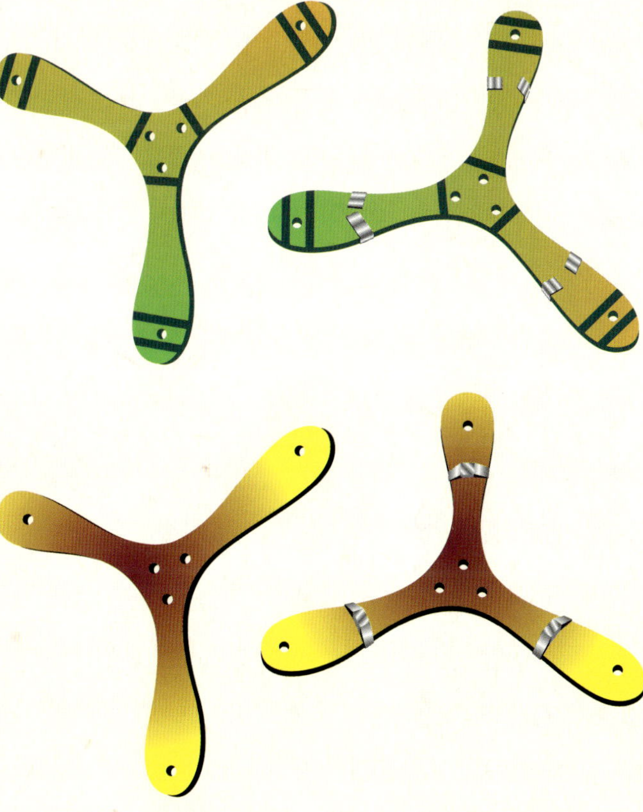

Cuando se lanzan dos boomerangs, a menudo se añade peso a uno de ellos para que descienda más deprisa que el otro.

Trick Catch

Aquí tienes otro espectacular y divertido acontecimiento. El Trick Catch o «recogida con efecto» consta de diez recogidas obligatorias, que hay que efectuar en orden de dificultad. Si lo consigues en la primera ronda, repites, esta vez haciendo Doubling, con un par de recogidas específicas para cada lanzamiento. ¡Absolutamente increíble!

Si te sientes capaz, estos son tus diez agarres:

- recogida con la mano izquierda

- recogida con la mano derecha

- por la espalda con las dos manos

- bajo la pierna con las dos manos

- eagle catch o «presa del águila»
  (recogida desde arriba con una sola mano)

- hackey catch
  (patear el boomerang hacia arriba y atraparlo con las manos)

- tunnel catch
  (con los dos pies en el suelo, recogida con la mano entre las piernas)

- foot catch
  (recogida con ambos pies)

- con una mano detrás de la espalda

- con una mano bajo la pierna

Ejemplo de recogida foot catch.

Ejemplo de recogida con una sola mano detrás de la espalda.

Seguridad

A estas alturas ya ha quedado claro que si se lanza mal un boomerang puede ocasionar daños graves. Sigue estas medidas de seguridad y piensa antes de tirarlo.

Lanzar en un sitio seguro

Esto significa comprobar, antes de empezar, que hay espacio suficiente para que el boomerang vuele, rebote o aterrice sin herir a nadie ni romper nada.

Mantener la distancia

Busca un área despejada de 30 metros a la redonda. Aún mejor si practicas en un campo de deportes vacío.

Estar alerta y preparado para avisar

Estate siempre atento para que nadie salga lastimado.

No lanzar un boomerang como un frisbee

Si lo lanzas totalmente horizontal, sin ladearlo apenas, caerá en picado de manera imprevisible y peligrosa. Hay que tirar el boomerang en una posición casi vertical.

Tirarlos de uno en uno

¡Dejemos los lanzamientos dobles para los expertos!

No lanzar demasiado fuerte

Al menos, no mientras aprendes. Incluso a media potencia, el boomerang volverá.

Recuerda que es un entretenimiento

Eso significa que lo haces para divertirte, así que no debería entrañar riesgos. Los modelos de competición están destinados a los expertos, por lo tanto se necesita experiencia para controlarlos.

Totalmente enganchado

En este libro tienes, prácticamente, todo lo debes saber para empezar; al menos, todo lo que puedes aprender en un libro. Ahora, lo que de verdad necesitas es salir e intentarlo.

Una advertencia: prepárate para engancharte a esta actividad. Los síntomas más comunes incluyen serias molestias musculares, rasguños y arañazos (al intentar recuperar tu boomerang en sitios inaccesibles), y subida de la presión arterial porque no consigues que esa «maldita cosa» haga lo que tú quieres. Pero todo este esfuerzo y sufrimiento merecerá la pena solo por ese emocionante momento en que lances el boomerang y observes cómo describe una preciosa trayectoria elíptica al regresar. Es algo que no se puede describir con palabras: tienes que experimentarlo por ti mismo.

¿A qué estás esperando?